말장난과 시 사이를 사색하고 산책하다

행간산책

조소연 시집

<목 차>

저에게 책은

불편한 현실의 **도피처**

타인을 이해하려는 **번역집**

내 마음을 헤아려주려는 **해석집**

입니다

[**안물안궁**]

행

간

산

책

행복한 지금과 미래를 위해
간절하지만 다정하고 유연하게
산 사람으로 기억되고 싶어
책을 읽습니다.

시집을 엮으며

저를 시알못(시를 알지 못하는 사람)으로 정의했어요. 나태주 시인의 편안한 일상을 그린 시를 좋아하고, 하상욱 시인의 말장난에 감동해요.

유치한 취향이라 다가가기 쉬운 필사를 해보려고 선택했던 시 필사 과정에서 영감에 취해 시를 쓰게 되었어요. 급발진한 생소한 시 쓰기 경험으로 인한 결과물이에요.

올해 시 쓰기와 달리기를 시작했는데 그동안 반백 살을 살면서 제가 하게 될 줄 몰랐던 두 가지예요.

소개될 시에 마음을 담으면서 **내가 만든 굴레에서 벗어나 나의 세상을 새롭게 만들어가는 경험**이라고 느꼈어요. 덕분에 저의 **시** 세상에 **집**까지 만들어 주게 되었네요.

'시집 엮어서 세상에 내놓는 게 맞을까?' 고민과 용기가 필요했지만 돌아보니 묵혀만 놓았을 첫사랑 등의 감정을 끄집어내는 의미 있는 시간이었어요.

여러분도 도전해보시라고 권하고 싶어요.

삼킨 말

수화기로 바삐 뻗는 손
여보세요?
미소 담긴 수줍은 메아리
불 끄고 이불에 나를 묻는다

뺨 위에 얹힌 수화기
오른 귀 달아오르면
왼 귀로 담는 메아리
졸음조차 아쉬운 밤

매일 건너오는 메아리
베개로 파고든 상기된 볼
그와 똑 닮은 보조개가
내 방 가득 핀다

만개한 마음 들킬까 봐
삼킨 말이 쌓여
갈 곳 잃은 메아리
첫 이별이었다.

그리움 1

그리워서 움
그리하여 세상을 배움
그리 오래지 않아 지움
그리도 아팠지만 새살이 돋움
그리고는 다시 몰아치는 설움
그리는 내가 미움
그리고도 채움

그리움 2

스스로 판 함정
홀로 하는 배웅

벤치

여자 친구가 있다던 친절한 그
고마움과 두근거림 사이
헤매는 발걸음과 눈물
오는 그를 밀쳐내는 길

고향 다녀온 날 헤어졌단다
안된다고 말하지 못했다
그를 벤 벤치가 포근하고
목욕 다녀온 향기가 달근해서

나란한 발걸음이 익숙할 즈음
우리 부모님의 반대
이별하고 만나기를 몇 번
끝내 그를 떼어내는 길

유독 햇살 가득한 날
벤치의 연인들 사이
에이는 발걸음과 눈물
버린 벌을 달게 받는 길

어리고 어리숙한
진한 지난날의 참회

아차산역 2번 출구

하얀 이어폰이 꽂힌다
좋아하는 가수의 멜로디
쥐어진 편지 두 장

스치는 손등의 어색함
슬며시 내민 벙어리장갑
어느덧 맞잡은 두 손

잠시 들른 자취방
자료를 찾는다 했는데
등으로 다가온 두 팔

내 뜨거운 입술이
너의 부드러운 입술에 닿길 원해
노래방에서 부른 두 곡

어두운 조명 속
밸런타인데이의 달콤함
포개진 두 입술

밀쳐진 홍대 오빠
전철역 앞 두 무릎
발걸음 갈라진 두 사람

오행시

내인생의 많은시간
가지못한 그와의길
좋아한맘 표현못해
아쉬움에 이별앓이
요즈음은 내게빠짐

(부제 : 내가좋아요)

부모도 부모의 자식

퉁명한 말투
섭섭한 대꾸

돌아온 성냄
받아친 공격

승없는 싸움
모두가 병자

부모께 드린것
자식이 돌려준

뿌린말 거두는
삶농사 치상처

사랑니

스물 넘어 채워진 이
큰 애 낳고
사랑을 모두 뽑았다

사람을 찾습니다!

행복해라는 말을 달고 다니는 사람
숨 쉬는 것만도 행복임을 아는 사람
특별한 일 없어도 북돋아 주는 사람
격 없이 편하고 넉넉한 사람
그런 사람이고 싶은 사람
찾았다면 내게 신고 바람

시여행

은행창구 업무중
홀로떠난 시여행
한시간이 걸려도
기분좋은 기다림

필사

또각또각 반듯하게 내딛는다
요런 길도 있구나
이리저리 기웃거린다
아련과 미련이 걸음을 돕는다
정처 없이 내달리는 자욱들
굽이굽이 새겨지는 나이테
고단해진 나그네는
지친 만큼 그득해지는 중

나 공략법

반한 그 순간처럼
아껴줄 것
지금 마지막처럼
표현할 것

행복 사계명

아무 걱정하지 말기
지금 이순간을 살기
함께 맛있는것 먹기
서로 얘기하며 웃기

말풍선

사이좋은 부부가 되고 싶었다
대화는 목청 큰 대결로 끝나기 일쑤
표현도 대화도 없는 부부가 되었다
일상은 잔잔하나 냉랭하다

몸을 일으켜 주저리주저리 쓴다
묵은 설움이 미끄럼을 탄다
몇 번의 코 풀기와 죽 풀어낸 보따리
망설이다 내게 보내진다

하루 이틀 일주일이 지나고
고민 끝에 그에게 보내진다
내가 바라는 삶은 이렇지만
원하지 않으면 받아들이겠다고

길이가 길어서였을까?
숫자 1이 사라지고 초조한 적막
노력합시다^^
덩그러니 떠오른 하얀 말풍선

받아들일 준비를 했건만
고마우면서도 얄미운 한 마디
사이좋은 부부는 뭘까?
품었던 노란 풍선에 바람을 뺀다

시 동사

헤맨다
애쓴다
찾는다
건진다
줍는다
붙든다
물든다
기운다
데운다
달군다
부른다
모은다
짓는다
멈춘다
떠난다
보낸다
버린다
비운다
지운다

걷는다
캐낸다
읊는다
담는다
그거다
적는다

널 만난 날

고생한 기억은 없고
기뻤던 추억만 가득
낳은 건 내 자유
기른 건 내 책임

넘치는 널 얻고도
나의 치부마저
너의 밑거름되길 바라는
나는 욕심쟁이

초에게 빌어본다
언제든 훨훨 떠나렴
힘들 땐 푹 기대렴
거침없이 행복하렴

책 책 책

안 풀리는 일의 해결책
걷다 보면 가벼워지는 산책
변하지 못했다면 나의 귀책
그래도 읽는다면 면책
내 삶 내 책임

그게 나

사랑은 변치 않길 바라면서
사람은 변하길 바라는 욕심

사랑은 받고 싶다면서
사랑은 주지 않는 위선

받은 만큼 돌려준다면서
고마움 저버린 파렴치한

잔소리는 싫다면서
트집 잡는 소인배

행복하고 싶다면서
노력 않고 피해자 코스프레

이중 잣대 들이대면서
비교하는 그게 나

말갛다

노인 눈시울 붉어지게
노을이 빨갛다

하얀 이불 널고 싶게
하늘이 파랗다

웃자란 마음 쫙 펴지게
웃음이 말갛다

습작

문득 떠오른 단어 붙들고
맨살과 마주하며
창피한 나를 대면한다
오랫동안
떠다니던 것들 뭉쳐
떠나보낸다

달음질

불과 한 달 전까지
오직 걷기만 한
건널목도 뛰지 않던
반백 인생 처음
달린다

몸을 수단 삼아
지나쳤던 날 만나고
크루들의 파이팅에
숨을 몰아쉬며
달린다

내가 만든 감옥
내가 깨는 중
애쓴 몸과 마음에게
기쁜 고통 선물하며
달린다

거북이 발놀림
과거를 짓밟으며
미래를 살기 위해
걷고 뛰는 달음질로
달린다

너는 장미보다 아름답진 않지만

들자마자 그 시절
감정에 물들고

잊지 못할 소절
꽃 같던 순간들

온통 나였던 구절
절절한 그리움

말라버린 계절
속절없는 세월

그 시절
내 장미

데운 시

간밤 여러 재료로
요리를 했다
아침에 보니
과한 맛이다
찬물 붓고
다시 데운다

무지개

시상이 떠오르면
시지을 준비한다
시작된 말장난이
시심을 자극하고
시하나 탄생되면
시에게 미안해도
시여행 행복하다

강아지

좁은 블록 총총
장군 되어 돌진하다
양어깨 붙잡힌다

방향 바꾸어 통통
게 되어 걸어가다
양손 묶여 돌아온다

날랜 발로 콩콩
럭비공 되어 뛰어가다
양다리에 가로막힌다

이래서 할머니들
내 강아지 했구나
미소 공장 천사다

시 창고 텅 빈 날

일상 속 정지 버튼
횟감 될 활어의 거센 몸부림
뜰채로 건진다

무작정 내다 팔다 보니
곶감 빼먹듯 사라져
슬슬 바닥이 보인다

시 창고 텅 빈 날
배고픔보다 부끄러움이 앞서길
생활 시인의 넋두리이자 소망

굴레

분명 떠나고 나면 돌아와
이곳이 제일 좋다고 할 것을
알면서도 간다
쳇바퀴가 지루해지면
꾸역꾸역 모은 밑천
카드 신께 바친다
할부에게 떠밀려
출근 도장 찍는다
일하다 떠나다 굴레에 갇혔다
그래도 나는 그 길 나선다

시작 詩作 시작

패터슨시에 사는 시를 쓰는 패터슨 씨
패턴처럼 반복되는 삶 속 23번 버스 기사
패턴을 그리며 컵케이크 굽는
컨트리 음악 스타가 되고 싶은 아내
그녀의 사랑 가득 도시락과 친구 되어
운전 중 담아둔 일상을
비밀 노트에 옮겨 담는다
꿈과 영감을 지지하는 사이
사랑의 4차원이 그들에게 머문다
일상이 시상되고
시상이 일상을 채우는 세상
흔해서 흘려보낸 순간들
아하! 로 포장해 돌려준 영상
주말, 잔잔한 예술 한 잔에 취해본다

비빔 시

각자의 눈으로 부친 세상
자신의 몸으로 빚은 말들
함께 덥혀질 시간

설렌다
이 말밖에 못 하니?
푸념도 양념으로 섞는다

무뎌진 감정이 농밀해질 때
웃음 망울 터지고
생기와 향기 흘러
덖은 찻잎도 필 기세

단맛과 음미가 의미로 깃들어
상처도 발효 중
화학적 물리적 스침
싱잉볼에 담아낸다

너의 의미

불편해 봐야 평상의 존재를 깨닫는다
사라졌을 때 비로소 유한의 의미를 안다
잃어봐야 가진 소중함을 온전히 느낀다

옅은 표정과 외마디에 온 세상 공기가 차진다
모든 세포를 너에게만 열어놓은 탓일까?
생각하지 말라는 것을 생각할 수밖에 없는

나약하며 어쭙잖은 내가 살아가는 이유는
그럼에도 불구하고 아무 상관없이 오롯이
지금 이 순간을 너와 누림에 감사하는 것

설경 구경

봄을 기다리던 뼈 마른 가지에
하얀 살이 올랐다
찬 도시의 공기가 솜사탕처럼 포근 달콤하다
반짝이는 실크 웨딩드레스 입은 검은 나무들
화이트 초콜릿 케이크 선물 받은 기분으로
출근길 질척거리는 어두운 도로 위
거북이 운전마저
구경나온 여행자 걸음 되어 사뿐하다
눈동자 굴리며 흰 눈 굴리는 상상하며
백색 세상 가득 담는 눈 호강을 누린다

변덕쟁이

굳은 머리 쥐어짜며 이리저리 손 본 시
낳을 때 고통스러운 마음 사라지고
탄생한 것이 낯설지만 신기해서
자꾸 눈길과 손길을 준다

자기애가 이리 강했나?
처음엔 분명 창피하고 부끄러웠는데
어느새 사랑스럽고 뿌듯해서 자랑하고픈
팔불출 나르시시스트 변덕쟁이

소풍

폭풍처럼 살아낸 인생을
소풍이라 부르는 노년들

거칠고 묵직한 짐
바리바리 챙겨보려 했으나

손과 몸이 모자라
떨어져 깨지고 흩어진다

주는 것만 익숙해서 돌보지 못한 몸이
주저앉힌 자리

보이기 싫은 모습 실눈으로 덮어주고
엉성한 벗과 떠난 소풍 웃으며 돌아오길

물들다

어릴 적 여름이면 수많은 꽃 중
빨강, 분홍, 하양 봉숭아 찾아
초록 잎 섞어 백반 넣어 빻았다

비닐과 명주실 가위 챙겨
손톱 가운데 꽃과 잎 얹고
비닐 덮어 실로 칭칭 묶는다

첫눈 올 때까지 물든 손톱이 있으면
사랑이 이뤄진다는 말에
손톱은 붉어지고 주변 살은 까매졌다

겨울 되면 초조하게
손톱 끝 조심하며
상대도 없으면서 조바심만 길다

괜한 희망으로 핑크빛 물들게 한
순수한 그 시절 먼 추억 대신
찐 사랑으로 물들고 싶다

명상

만남도 헤어짐도
인생은 우연

알 수 없기에 기적이며
유한하기에 아름답다

감사한 지금을
알아차리기

고마운 일

자식이 셋, 마음은 크지만
온전히 백을 줄 수 없었다

부족했을 사랑과 손길도
자유와 존중으로 미화했다

간섭과 잔소리 대신
걱정을 멀리하고 감정을 공유했다

거리 둠이 사이좋음을 만들고
한계에서 내려놓음을 배웠다

변명 같지만 그래도
그래서 고마운 일이다

클로버의 가르침

행운 찾느라 행복 밟지 마라
중요한 것만 하다 소중한 것 잃지 마라
발밑만 보지 말고 멀게도 보아라
망설이지 말고 뭐든지 해봐라
능력이 생기면 주변과 나눠라

만난다

뽑아도 뽑아도 물드는 새치처럼
주름이 스며든다

뽑아도 뽑아도 나오는 티슈처럼
조문이 늘어난다

뽑아도 뽑아도 자라는 잡초처럼
통증이 생겨난다

뭐하나 보려면 할머니처럼
안경을 썼다 벗었다

식사 후 이쑤시개부터 찾던 아빠처럼
치간 칫솔 애용하고

밤새 코 골던 남편처럼
숨소리 시끄러워지고

한약재 냄새 코 막던 청춘에서
영양제 가득한 서랍 보니

여기저기 피부도 가려워지고
식탐 많던 입맛도 사라질까?

돌고 돌아 누구에게나 당도하는
노화를 오늘도 만난다

쉰 즈음에

애 셋 키우다
이십 년 훌쩍 지났다

훌쩍은 냇물처럼 흘러
너희 기억에선 사라졌고

흐르면서 내 몸 통과한
추억은 날 둥글게 만든다

흘러간 시간 덧없다가
장성한 모습 뿌듯하다

갬성인 줄 알았는데
갱년기

합주

온종일 마시던 물보다
더 많은 양을 단시간에 붓는다
연거푸 들어온 알약 14알
시장했던 위장이 울렁댄다
대장은 힘들다고 꿈틀대고
파장은 가스와 함께 난장 되고
대 환장 합주가 시작된다
밤새 쏟는데 열중한 장기들
연주도 막장
솟은 용정 쫓아내며
긴 합주가 끝났다

사는 동안은 청춘

겸손이라고 뱉은 나를 낮춘 말이 삶을 가두고
많던 꿈 놓치고 역할로만 산 결과
더 이상 주장도 의견도 없이
짐이 될까 조심하며 걱정만 늘린다

내면의 스피커는 소리 내는 법을 잊어버렸고
때론 책임이라는 족쇄가
나를 강하게 성장시켰지만
오롯이 나로 살지 못한 시간과 청춘 아쉽다면

이제라도 세상에 나를 던지고
못 한다 변명하며 숨지 말고
사는 동안은 용기 있는 청춘으로
새로운 나를 안아주고 사랑하자

대회

임신했을 땐 온통 배부른 사람만 보이더니
깁스하니 묵직한 짐 진 사람 천지다

여행 중 펄럭이는 대회 안내 깃발
라디오에서 흘러나오는 대회 상황

보이지도 들리지도 않던 단어
마라톤

곧 오십인데 대회를 나가다니
한 치 앞도 모를 인생

봄 그림

품고 있던 소망이 얼마나 컸기에
하루 사이 가녀린 손목
지탱하기 힘들 봉우리
그득그득 달고 있는 모습 늠름하다

존재를 잊고 있던 거리에
찬란하게 부풀어 뽐내는 자태
질투심마저 도망가고
햇살도 도와 시리도록 눈부시다

투명한 낮엔 핑크빛으로 유혹하더니
어두운 밤엔 오솔길 하얗게 밝힌다
두서없이 벚 개나리 진달래 목련 산수유
우후죽순 출몰하여 주변을 덧칠한다

점점 가을은 짧고 봄마저 순간이다
꽃 좋아하는 엄마를 이해 못 하던 딸은
어느덧 눈 못 떼며 휴대전화 갤러리에
봄 내음과 봄 그림 가득 채운다

그렇게 아름답던 찰나는
비와 바람에 맞서다
속수무책으로 길바닥 장식하고
품었던 꿈은 잎사귀로 화답한다

시시껄렁

시작숙제
시달리며
시쓰기를
시작하니
시러해서
시들하고
시도해도
시원찮고
시상들을
시리즈로
시합하듯
시접해도
시짓는건
시간낭비
시종일관
시시하고
시계보니
시나브로
시간흘러

시장하여
시급하게
시를낳고
시인인척
시늉하며
시동걸고
시장간다

쓴 인생

캬~아 한 모금 삼키며 내는 소리에
호기심 어린 눈이 재밌어 권한다
조심히 입 대보고는
오만상 찡그리며 눈 흘긴다
이 쓴 것을 무슨 맛으로 먹냐고
왜 마시냐 묻는 이에게
인생의 쓴맛을 몰라서 그런 거라 했다
알딸딸한 기분이 좋아서라고도 했지만
잊지 못한 마음 다시 만나기 위해
때론 마음속 살얼음 녹이려 찾을 때도 있었다
좋아서만도 힘들어서만도 아닌
그냥 허전한 마음 나누고 싶었을 때도 있었다
홀짝홀짝과 짝꿍 되니
땅거미 지면 그림자처럼 따라붙었다
반찬을 안주라 명하며
첫 잔 따르는 콸콸콸 소리에
온몸의 세포가 춤추고
쌉쌀한 취기가 뜨끈히 번지면
쓴 인생 달콤하게 빚어진다

행간산책

발 행 | 2024년 5월 5일
저 자 | 조소연
편 집 | 김민들레이야기책빵
펴낸이 | 한건희
펴낸곳 | 주식회사 부크크
출판사등록 | 2014.07.15.(제2014-16호)
주 소 | 서울특별시 금천구 가산디지털1로 119 SK트윈타워 A동 305호
전 화 | 1670-8316
이메일 | info@bookk.co.kr

ISBN | 979-11-410-8281-9

www.bookk.co.kr
ⓒ 행간산책 2024